THIS NOTEBOOK BELONGS TO:

_____

_____

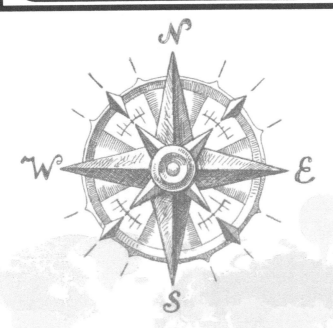

DESTINATION	DAFE

PLACES TO VISITE

_____

_____

_____

_____

_____

_____

_____

TO DO

- [ ] _____
- [ ] _____
- [ ] _____
- [ ] _____
- [ ] _____
- [ ] _____
- [ ] _____

TRANSPORTATION

DEPARTURE | ARRIVAL

DEPARTURE | ARRIVAL

DEPARTURE | ARRIVAL

ACCOMMODATION

NAME _____

BOOKING _____

ADDRESS _____

_____

TEL _____

ROOM _____

MONEY SPEND

_____

_____

NOTES

_____

_____

_____

_____

_____

_____

_____

_____

_____

DESTINATION		DAFE

PLACES TO VISITE

_____
_____
_____
_____
_____
_____
_____

TO DO

☐ _____
☐ _____
☐ _____
☐ _____
☐ _____
☐ _____
☐

TRANSPORTATION

DEPARTURE | ARRIVAL

DEPARTURE | ARRIVAL

DEPARTURE | ARRIVAL

ACCOMMODATION

NAME _____
BOOKING _____
ADDRESS _____
_____
TEL _____
ROOM _____

MONEY SPEND

_____
_____

NOTES

_____
_____
_____
_____
_____
_____
_____
_____
_____

DESTINATION	DAFE

PLACES TO VISITE

TO DO

- [ ] _____
- [ ] _____
- [ ] _____
- [ ] _____
- [ ] _____
- [ ] _____
- [ ] _____

TRANSPORTATION

DEPARTURE | ARRIVAL

DEPARTURE | ARRIVAL

DEPARTURE | ARRIVAL

ACCOMMODATION

NAME _____

BOOKING _____

ADDRESS _____

_____

TEL _____

ROOM _____

MONEY SPEND

NOTES

DESTINATION	DAFE

PLACES TO VISITE

_____
_____
_____
_____
_____
_____
_____

TO DO

- [ ] _____
- [ ] _____
- [ ] _____
- [ ] _____
- [ ] _____
- [ ] _____
- [ ] _____

TRANSPORTATION

DEPARTURE | ARRIVAL

DEPARTURE | ARRIVAL

DEPARTURE | ARRIVAL

MONEY SPEND

_____
_____

ACCOMMODATION

NAME _____
BOOKING _____
ADDRESS _____
_____
TEL _____
ROOM _____

NOTES

_____
_____
_____
_____
_____
_____
_____
_____
_____
_____

| DESTINATION | DAFE |

PLACES TO VISITE

_____

_____

_____

_____

_____

_____

_____

TO DO

☐ _____

☐ _____

☐ _____

☐ _____

☐ _____

☐ _____

☐ _____

TRANSPORTATION

DEPARTURE | ARRIVAL

DEPARTURE | ARRIVAL

DEPARTURE | ARRIVAL

MONEY SPEND

_____

_____

ACCOMMODATION

NAME _____

BOOKING _____

ADDRESS _____

_____

TEL _____

ROOM _____

NOTES

_____

_____

_____

_____

_____

_____

_____

_____

_____

DESTINATION	DAFE

PLACES TO VISITE

_____
_____
_____
_____
_____
_____
_____

TO DO

- ☐ _____
- ☐ _____
- ☐ _____
- ☐ _____
- ☐ _____
- ☐ _____
- ☐ _____

TRANSPORTATION

DEPARTURE | ARRIVAL

DEPARTURE | ARRIVAL

DEPARTURE | ARRIVAL

ACCOMMODATION

NAME _____
BOOKING _____
ADDRESS _____
_____
TEL _____
ROOM _____

MONEY SPEND

NOTES

_____
_____
_____
_____
_____
_____
_____
_____
_____

DESTINATION	DAFE

PLACES TO VISITE

_____
_____
_____
_____
_____
_____
_____

TO DO

- ☐ _____
- ☐ _____
- ☐ _____
- ☐ _____
- ☐ _____
- ☐ _____
- ☐ _____

TRANSPORTATION

DEPARTURE | ARRIVAL

DEPARTURE | ARRIVAL

DEPARTURE | ARRIVAL

ACCOMMODATION

NAME _____

BOOKING _____

ADDRESS _____

_____

TEL _____

ROOM _____

MONEY SPEND

_____
_____

NOTES

_____
_____
_____
_____
_____
_____
_____
_____
_____

DESTINATION	DAFE

PLACES TO VISITE

_____
_____
_____
_____
_____
_____
_____

TO DO

- [ ] _____
- [ ] _____
- [ ] _____
- [ ] _____
- [ ] _____
- [ ] _____
- [ ] _____

TRANSPORTATION

DEPARTURE | ARRIVAL

DEPARTURE | ARRIVAL

DEPARTURE | ARRIVAL

MONEY SPEND

_____
_____

ACCOMMODATION

NAME _____
BOOKING _____
ADDRESS _____
_____
TEL _____
ROOM _____

NOTES

_____
_____
_____
_____
_____
_____
_____
_____
_____

| DESTINATION | DAFE |

PLACES TO VISITE

_____
_____
_____
_____
_____
_____
_____

TO DO

- [ ] _____
- [ ] _____
- [ ] _____
- [ ] _____
- [ ] _____
- [ ] _____
- [ ] _____

TRANSPORTATION

DEPARTURE | ARRIVAL

DEPARTURE | ARRIVAL

DEPARTURE | ARRIVAL

ACCOMMODATION

NAME _____
BOOKING _____
ADDRESS _____
_____
TEL _____
ROOM _____

MONEY SPEND

_____
_____

NOTES

_____
_____
_____
_____
_____
_____
_____
_____

DESTINATION	DAFE

PLACES TO VISITE

_____
_____
_____
_____
_____
_____
_____

TO DO

☐ _____
☐ _____
☐ _____
☐ _____
☐ _____
☐ _____
☐ _____

TRANSPORTATION

DEPARTURE | ARRIVAL

DEPARTURE | ARRIVAL

DEPARTURE | ARRIVAL

ACCOMMODATION

NAME _____
BOOKING _____
ADDRESS _____
_____
TEL _____
ROOM _____

MONEY SPEND

_____
_____

NOTES

_____
_____
_____
_____
_____
_____
_____
_____
_____

DESTINATION	DAFE

PLACES TO VISITE

_____
_____
_____
_____
_____
_____
_____

TO DO

- ☐ _____
- ☐ _____
- ☐ _____
- ☐ _____
- ☐ _____
- ☐ _____
- ☐ _____

TRANSPORTATION

DEPARTURE | ARRIVAL

DEPARTURE | ARRIVAL

DEPARTURE | ARRIVAL

ACCOMMODATION

NAME _____

BOOKING _____

ADDRESS _____

_____

TEL _____

ROOM _____

MONEY SPEND

NOTES

_____
_____
_____
_____
_____
_____
_____
_____

DESTINATION	DAFE

PLACES TO VISITE

TO DO
- [ ]
- [ ]
- [ ]
- [ ]
- [ ]
- [ ]
- [ ]

TRANSPORTATION
DEPARTURE | ARRIVAL

DEPARTURE | ARRIVAL

DEPARTURE | ARRIVAL

ACCOMMODATION
NAME
BOOKING
ADDRESS

TEL
ROOM

MONEY SPEND

NOTES

| DESTINATION | DAFE |

PLACES TO VISITE

_____

_____

_____

_____

_____

_____

TO DO

☐ _____

☐ _____

☐ _____

☐ _____

☐ _____

☐ _____

☐ _____

TRANSPORTATION

| DEPARTURE | ARRIVAL |

| DEPARTURE | ARRIVAL |

| DEPARTURE | ARRIVAL |

ACCOMMODATION

NAME _____

BOOKING _____

ADDRESS _____

_____

TEL _____

ROOM _____

MONEY SPEND

NOTES

_____

_____

_____

_____

_____

_____

_____

_____

DESTINATION	DAFE

PLACES TO VISITE

TO DO

- [ ]
- [ ]
- [ ]
- [ ]
- [ ]
- [ ]
- [ ]

TRANSPORTATION

DEPARTURE | ARRIVAL

DEPARTURE | ARRIVAL

DEPARTURE | ARRIVAL

ACCOMMODATION

NAME

BOOKING

ADDRESS

TEL

ROOM

MONEY SPEND

NOTES

DESTINATION		DAFE

PLACES TO VISITE

_____

_____

_____

_____

_____

_____

_____

TO DO

☐ _____

☐ _____

☐ _____

☐ _____

☐ _____

☐ _____

☐ _____

TRANSPORTATION

DEPARTURE | ARRIVAL

DEPARTURE | ARRIVAL

DEPARTURE | ARRIVAL

MONEY SPEND

ACCOMMODATION

NAME _____

BOOKING _____

ADDRESS _____

_____

TEL _____

ROOM _____

NOTES

_____

_____

_____

_____

_____

_____

_____

_____

DESTINATION	DAFE

PLACES TO VISITE

_____
_____
_____
_____
_____
_____
_____

TO DO

- [ ] _____
- [ ] _____
- [ ] _____
- [ ] _____
- [ ] _____
- [ ] _____
- [ ] _____

TRANSPORTATION

DEPARTURE | ARRIVAL

DEPARTURE | ARRIVAL

DEPARTURE | ARRIVAL

ACCOMMODATION

NAME _____

BOOKING _____

ADDRESS _____

_____

TEL _____

ROOM _____

MONEY SPEND

_____

_____

NOTES

_____
_____
_____
_____
_____
_____
_____
_____
_____

| DESTINATION | DAFE |

PLACES TO VISITE

_____
_____
_____
_____
_____
_____
_____

TO DO

- [ ] _____
- [ ] _____
- [ ] _____
- [ ] _____
- [ ] _____
- [ ] _____
- [ ] _____

TRANSPORTATION

DEPARTURE | ARRIVAL

DEPARTURE | ARRIVAL

DEPARTURE | ARRIVAL

ACCOMMODATION

NAME _____
BOOKING _____
ADDRESS _____
_____
TEL _____
ROOM _____

MONEY SPEND

_____
_____

NOTES

_____
_____
_____
_____
_____
_____
_____
_____

DESTINATION	DAFE

PLACES TO VISITE

_____
_____
_____
_____
_____
_____

TO DO

- ☐ _____
- ☐ _____
- ☐ _____
- ☐ _____
- ☐ _____
- ☐ _____
- ☐ _____

TRANSPORTATION

DEPARTURE | ARRIVAL

DEPARTURE | ARRIVAL

DEPARTURE | ARRIVAL

ACCOMMODATION

NAME _____
BOOKING _____
ADDRESS _____
_____
TEL _____
ROOM _____

MONEY SPEND

NOTES

_____
_____
_____
_____
_____
_____
_____
_____

DESTINATION	DAFE

PLACES TO VISITE

_____
_____
_____
_____
_____
_____

TO DO

- ☐ _____
- ☐ _____
- ☐ _____
- ☐ _____
- ☐ _____
- ☐ _____
- ☐

TRANSPORTATION

DEPARTURE	ARRIVAL

DEPARTURE	ARRIVAL

DEPARTURE	ARRIVAL

ACCOMMODATION

NAME _____
BOOKING _____
ADDRESS _____
_____
TEL _____
ROOM _____

MONEY SPEND

NOTES

_____
_____
_____
_____
_____
_____
_____
_____

DESTINATION	DAFE

PLACES TO VISITE

_____
_____
_____
_____
_____
_____
_____

TO DO

- [ ] _____
- [ ] _____
- [ ] _____
- [ ] _____
- [ ] _____
- [ ] _____
- [ ] _____

TRANSPORTATION

DEPARTURE | ARRIVAL

DEPARTURE | ARRIVAL

DEPARTURE | ARRIVAL

ACCOMMODATION

NAME _____
BOOKING _____
ADDRESS _____
_____
TEL _____
ROOM _____

MONEY SPEND

_____
_____

NOTES

_____
_____
_____
_____
_____
_____
_____
_____
_____

DESTINATION	DAFE

PLACES TO VISITE

_____
_____
_____
_____
_____
_____
_____

TO DO

- ☐ _____
- ☐ _____
- ☐ _____
- ☐ _____
- ☐ _____
- ☐ _____
- ☐ _____

TRANSPORTATION

DEPARTURE   ARRIVAL

DEPARTURE   ARRIVAL

DEPARTURE   ARRIVAL

ACCOMMODATION

NAME _____

BOOKING _____

ADDRESS _____

_____

TEL _____

ROOM _____

MONEY SPEND

_____
_____

NOTES

_____
_____
_____
_____
_____
_____
_____
_____

| DESTINATION | DAFE |

PLACES TO VISITE

_____
_____
_____
_____
_____
_____

TO DO

☐ _____
☐ _____
☐ _____
☐ _____
☐ _____
☐ _____
☐ _____

TRANSPORTATION

DEPARTURE | ARRIVAL

DEPARTURE | ARRIVAL

DEPARTURE | ARRIVAL

ACCOMMODATION

NAME _____
BOOKING _____
ADDRESS _____
_____
TEL _____
ROOM _____

MONEY SPEND

_____
_____

NOTES

_____
_____
_____
_____
_____
_____
_____
_____

DESTINATION		DAFE

PLACES TO VISITE

TO DO

- [ ] _____
- [ ] _____
- [ ] _____
- [ ] _____
- [ ] _____
- [ ] _____
- [ ] _____

TRANSPORTATION

DEPARTURE | ARRIVAL

DEPARTURE | ARRIVAL

DEPARTURE | ARRIVAL

ACCOMMODATION

NAME _____

BOOKING _____

ADDRESS _____
_____

TEL _____

ROOM _____

MONEY SPEND

NOTES

DESTINATION	DAFE

PLACES TO VISITE

_____
_____
_____
_____
_____
_____

TO DO

- ☐ _____
- ☐ _____
- ☐ _____
- ☐ _____
- ☐ _____
- ☐ _____
- ☐ _____

TRANSPORTATION

DEPARTURE	ARRIVAL

DEPARTURE	ARRIVAL

DEPARTURE	ARRIVAL

ACCOMMODATION

NAME _____

BOOKING _____

ADDRESS _____

_____

TEL _____

ROOM _____

NOTES

_____
_____
_____
_____
_____
_____
_____
_____
_____

MONEY SPEND

DESTINATION	DAFE

PLACES TO VISITE

TO DO

- [ ]
- [ ]
- [ ]
- [ ]
- [ ]
- [ ]
- [ ]

TRANSPORTATION

DEPARTURE | ARRIVAL

DEPARTURE | ARRIVAL

DEPARTURE | ARRIVAL

ACCOMMODATION

NAME

BOOKING

ADDRESS

TEL

ROOM

MONEY SPEND

NOTES

DESTINATION	DAFE

PLACES TO VISITE

_____
_____
_____
_____
_____
_____

TO DO

- ☐ _____
- ☐ _____
- ☐ _____
- ☐ _____
- ☐ _____
- ☐ _____
- ☐ _____

TRANSPORTATION

DEPARTURE | ARRIVAL

DEPARTURE | ARRIVAL

DEPARTURE | ARRIVAL

ACCOMMODATION

NAME _____

BOOKING _____

ADDRESS _____

_____

TEL _____

ROOM _____

MONEY SPEND

_____

_____

NOTES

_____
_____
_____
_____
_____
_____
_____
_____

DESTINATION	DAFE

PLACES TO VISITE

_____

_____

_____

_____

_____

_____

_____

TO DO

☐ _____

☐ _____

☐ _____

☐ _____

☐ _____

☐ _____

☐ _____

TRANSPORTATION

DEPARTURE | ARRIVAL

DEPARTURE | ARRIVAL

DEPARTURE | ARRIVAL

ACCOMMODATION

NAME _____

BOOKING _____

ADDRESS _____

_____

TEL _____

ROOM _____

MONEY SPEND

_____

_____

NOTES

_____

_____

_____

_____

_____

_____

_____

_____

_____

DESTINATION	DAFE

PLACES TO VISITE

TO DO

- [ ] _____
- [ ] _____
- [ ] _____
- [ ] _____
- [ ] _____
- [ ] _____
- [ ] _____

TRANSPORTATION

DEPARTURE | ARRIVAL

DEPARTURE | ARRIVAL

DEPARTURE | ARRIVAL

ACCOMMODATION

NAME _____

BOOKING _____

ADDRESS _____

_____

TEL _____

ROOM _____

MONEY SPEND

NOTES

DESTINATION	DAFE

PLACES TO VISITE

_____
_____
_____
_____
_____
_____

TO DO

- [ ] _____
- [ ] _____
- [ ] _____
- [ ] _____
- [ ] _____
- [ ] _____
- [ ] _____

TRANSPORTATION

DEPARTURE   ARRIVAL

DEPARTURE   ARRIVAL

DEPARTURE   ARRIVAL

MONEY SPEND

_____

ACCOMMODATION

NAME _____
BOOKING _____
ADDRESS _____
_____
TEL _____
ROOM _____

NOTES

_____
_____
_____
_____
_____
_____
_____
_____
_____

DESTINATION	DAFE

PLACES TO VISITE

_____
_____
_____
_____
_____
_____
_____

TO DO

- [ ] _____
- [ ] _____
- [ ] _____
- [ ] _____
- [ ] _____
- [ ] _____
- [ ] _____

TRANSPORTATION

DEPARTURE	ARRIVAL

DEPARTURE	ARRIVAL

DEPARTURE	ARRIVAL

ACCOMMODATION

NAME _____
BOOKING _____
ADDRESS _____
_____
TEL _____
ROOM _____

MONEY SPEND

_____
_____

NOTES

_____
_____
_____
_____
_____
_____
_____
_____
_____

DESTINATION	DAFE

PLACES TO VISITE

_____
_____
_____
_____
_____
_____

TO DO

- ☐ _____
- ☐ _____
- ☐ _____
- ☐ _____
- ☐ _____
- ☐ _____
- ☐ _____

TRANSPORTATION

DEPARTURE	ARRIVAL

DEPARTURE	ARRIVAL

DEPARTURE	ARRIVAL

ACCOMMODATION

NAME _____
BOOKING _____
ADDRESS _____
_____
TEL _____
ROOM _____

MONEY SPEND

NOTES

_____
_____
_____
_____
_____
_____
_____
_____
_____

| DESTINATION | DAFE |

PLACES TO VISITE

_____
_____
_____
_____
_____
_____

TO DO

☐ _____
☐ _____
☐ _____
☐ _____
☐ _____
☐ _____
☐ _____

TRANSPORTATION

DEPARTURE | ARRIVAL

DEPARTURE | ARRIVAL

DEPARTURE | ARRIVAL

MONEY SPEND

ACCOMMODATION

NAME _____
BOOKING _____
ADDRESS _____
_____
TEL _____
ROOM _____

NOTES

_____
_____
_____
_____
_____
_____
_____
_____

DESTINATION	DAFE

PLACES TO VISITE

TO DO

- [ ]
- [ ]
- [ ]
- [ ]
- [ ]
- [ ]
- [ ]

TRANSPORTATION

DEPARTURE | ARRIVAL

DEPARTURE | ARRIVAL

DEPARTURE | ARRIVAL

ACCOMMODATION

NAME

BOOKING

ADDRESS

TEL

ROOM

MONEY SPEND

NOTES

DESTINATION	DAFE

PLACES TO VISITE

_____
_____
_____
_____
_____
_____
_____

TO DO

- ☐ _____
- ☐ _____
- ☐ _____
- ☐ _____
- ☐ _____
- ☐ _____
- ☐ _____

TRANSPORTATION

DEPARTURE	ARRIVAL

DEPARTURE	ARRIVAL

DEPARTURE	ARRIVAL

MONEY SPEND

ACCOMMODATION

NAME _____
BOOKING _____
ADDRESS _____
_____
TEL _____
ROOM _____

NOTES

_____
_____
_____
_____
_____
_____
_____
_____
_____

DESTINATION	DAFE

PLACES TO VISITE

_____
_____
_____
_____
_____
_____

TO DO

- ☐ _____
- ☐ _____
- ☐ _____
- ☐ _____
- ☐ _____
- ☐ _____
- ☐ _____

TRANSPORTATION

DEPARTURE | ARRIVAL

DEPARTURE | ARRIVAL

DEPARTURE | ARRIVAL

ACCOMMODATION

NAME _____

BOOKING _____

ADDRESS _____

_____

TEL _____

ROOM _____

MONEY SPEND

_____
_____

NOTES

_____
_____
_____
_____
_____
_____
_____
_____
_____

DESTINATION	DAFE

PLACES TO VISITE

_____
_____
_____
_____
_____
_____
_____

TO DO

- [ ] _____
- [ ] _____
- [ ] _____
- [ ] _____
- [ ] _____
- [ ] _____
- [ ] _____

TRANSPORTATION

DEPARTURE | ARRIVAL

DEPARTURE | ARRIVAL

DEPARTURE | ARRIVAL

ACCOMMODATION

NAME _____

BOOKING _____

ADDRESS _____

_____

TEL _____

ROOM _____

MONEY SPEND

NOTES

_____
_____
_____
_____
_____
_____
_____
_____
_____

DESTINATION	DAFE

PLACES TO VISITE

_____
_____
_____
_____
_____
_____

TO DO

- ☐ _____
- ☐ _____
- ☐ _____
- ☐ _____
- ☐ _____
- ☐ _____
- ☐ _____

TRANSPORTATION

DEPARTURE	ARRIVAL

DEPARTURE	ARRIVAL

DEPARTURE	ARRIVAL

MONEY SPEND

_____
_____

ACCOMMODATION

NAME _____
BOOKING _____
ADDRESS _____
_____
TEL _____
ROOM _____

NOTES

_____
_____
_____
_____
_____
_____
_____
_____

DESTINATION		DAFE

PLACES TO VISITE

_____
_____
_____
_____
_____
_____
_____

TO DO

- ☐ _____
- ☐ _____
- ☐ _____
- ☐ _____
- ☐ _____
- ☐ _____
- ☐ _____

TRANSPORTATION

DEPARTURE | ARRIVAL

DEPARTURE | ARRIVAL

DEPARTURE | ARRIVAL

ACCOMMODATION

NAME _____
BOOKING _____
ADDRESS _____
_____
TEL _____
ROOM _____

MONEY SPEND

NOTES

_____
_____
_____
_____
_____
_____
_____
_____
_____

DESTINATION	DAFE

PLACES TO VISITE

_____

_____

_____

_____

_____

_____

TO DO

- ☐ _____
- ☐ _____
- ☐ _____
- ☐ _____
- ☐ _____
- ☐ _____
- ☐ _____

TRANSPORTATION

DEPARTURE | ARRIVAL

DEPARTURE | ARRIVAL

DEPARTURE | ARRIVAL

ACCOMMODATION

NAME _____

BOOKING _____

ADDRESS _____

_____

TEL _____

ROOM _____

MONEY SPEND

_____

NOTES

_____

_____

_____

_____

_____

_____

_____

_____

_____

DESTINATION	DAFE

PLACES TO VISITE

_____

_____

_____

_____

_____

_____

_____

TO DO

☐ _____

☐ _____

☐ _____

☐ _____

☐ _____

☐ _____

☐ _____

TRANSPORTATION

DEPARTURE | ARRIVAL

DEPARTURE | ARRIVAL

DEPARTURE | ARRIVAL

MONEY SPEND

_____

_____

ACCOMMODATION

NAME _____

BOOKING _____

ADDRESS _____

_____

TEL _____

ROOM _____

NOTES

_____

_____

_____

_____

_____

_____

_____

_____

DESTINATION		DAFE

PLACES TO VISITE

_____

_____

_____

_____

_____

_____

_____

TO DO

- ☐ _____
- ☐ _____
- ☐ _____
- ☐ _____
- ☐ _____
- ☐ _____
- ☐ _____

TRANSPORTATION

DEPARTURE | ARRIVAL

DEPARTURE | ARRIVAL

DEPARTURE | ARRIVAL

ACCOMMODATION

NAME _____

BOOKING _____

ADDRESS _____

_____

TEL _____

ROOM _____

MONEY SPEND

_____

_____

NOTES

_____

_____

_____

_____

_____

_____

_____

_____

DESTINATION	DAFE

PLACES TO VISITE

_____

_____

_____

_____

_____

_____

TO DO

☐ _____

☐ _____

☐ _____

☐ _____

☐ _____

☐ _____

☐ _____

TRANSPORTATION

DEPARTURE	ARRIVAL

DEPARTURE	ARRIVAL

DEPARTURE	ARRIVAL

MONEY SPEND

ACCOMMODATION

NAME _____

BOOKING _____

ADDRESS _____

_____

TEL _____

ROOM _____

NOTES

_____

_____

_____

_____

_____

_____

_____

_____

_____

DESTINATION

DAFE

PLACES TO VISITE

TO DO

- [ ] _____
- [ ] _____
- [ ] _____
- [ ] _____
- [ ] _____
- [ ] _____
- [ ] _____

TRANSPORTATION
DEPARTURE | ARRIVAL

DEPARTURE | ARRIVAL

DEPARTURE | ARRIVAL

ACCOMMODATION

NAME _____

BOOKING _____

ADDRESS _____

_____

TEL _____

ROOM _____

MONEY SPEND

NOTES

_____
_____
_____
_____
_____
_____
_____
_____
_____

DESTINATION	DAFE

PLACES TO VISITE

_____
_____
_____
_____
_____
_____

TO DO

☐ _____
☐ _____
☐ _____
☐ _____
☐ _____
☐ _____
☐ _____

TRANSPORTATION

DEPARTURE | ARRIVAL

DEPARTURE | ARRIVAL

DEPARTURE | ARRIVAL

MONEY SPEND

ACCOMMODATION

NAME _____
BOOKING _____
ADDRESS _____
_____
TEL _____
ROOM _____

NOTES

_____
_____
_____
_____
_____
_____
_____
_____

DESTINATION		DAFE

PLACES TO VISITE

_____
_____
_____
_____
_____
_____
_____

TO DO

☐ _____
☐ _____
☐ _____
☐ _____
☐ _____
☐ _____
☐ _____

TRANSPORTATION

DEPARTURE | ARRIVAL

DEPARTURE | ARRIVAL

DEPARTURE | ARRIVAL

MONEY SPEND

ACCOMMODATION

NAME _____

BOOKING _____

ADDRESS _____

_____

TEL _____

ROOM _____

NOTES

_____
_____
_____
_____
_____
_____
_____
_____
_____

DESTINATION

DAFE

PLACES TO VISITE

_____
_____
_____
_____
_____
_____
_____

TO DO

☐ _____
☐ _____
☐ _____
☐ _____
☐ _____
☐ _____
☐

TRANSPORTATION

DEPARTURE   ARRIVAL

DEPARTURE   ARRIVAL

DEPARTURE   ARRIVAL

ACCOMMODATION

NAME _____
BOOKING _____
ADDRESS _____
_____
TEL _____
ROOM _____

MONEY SPEND

_____

NOTES

_____
_____
_____
_____
_____
_____
_____
_____

DESTINATION	DAFE

PLACES TO VISITE

_____

_____

_____

_____

_____

_____

_____

TO DO

☐ _____
☐ _____
☐ _____
☐ _____
☐ _____
☐ _____
☐

TRANSPORTATION

DEPARTURE | ARRIVAL

DEPARTURE | ARRIVAL

DEPARTURE | ARRIVAL

ACCOMMODATION

NAME _____

BOOKING _____

ADDRESS _____

_____

TEL _____

ROOM _____

MONEY SPEND

_____

_____

NOTES

_____

_____

_____

_____

_____

_____

_____

_____

_____

DESTINATION

DAFE

PLACES TO VISITE

TO DO

- [ ]
- [ ]
- [ ]
- [ ]
- [ ]
- [ ]
- [ ]

TRANSPORTATION

DEPARTURE	ARRIVAL

DEPARTURE	ARRIVAL

DEPARTURE	ARRIVAL

ACCOMMODATION

NAME —————————

BOOKING —————————

ADDRESS —————————

TEL —————————

ROOM —————————

MONEY SPEND

NOTES

DESTINATION	DAFE

PLACES TO VISITE

TO DO

- [ ]
- [ ]
- [ ]
- [ ]
- [ ]
- [ ]
- [ ]

TRANSPORTATION

DEPARTURE | ARRIVAL

DEPARTURE | ARRIVAL

DEPARTURE | ARRIVAL

ACCOMMODATION

NAME

BOOKING

ADDRESS

TEL

ROOM

MONEY SPEND

NOTES

DESTINATION	DAFE

PLACES TO VISITE

_____
_____
_____
_____
_____
_____
_____

TO DO

- ☐ _____
- ☐ _____
- ☐ _____
- ☐ _____
- ☐ _____
- ☐ _____
- ☐ _____

TRANSPORTATION

DEPARTURE | ARRIVAL

DEPARTURE | ARRIVAL

DEPARTURE | ARRIVAL

MONEY SPEND

_____

ACCOMMODATION

NAME _____

BOOKING _____

ADDRESS _____

_____

TEL _____

ROOM _____

NOTES

_____
_____
_____
_____
_____
_____
_____
_____

DESTINATION	DAFE

PLACES TO VISITE

_____
_____
_____
_____
_____
_____
_____

TO DO

☐ _____
☐ _____
☐ _____
☐ _____
☐ _____
☐ _____
☐ _____

TRANSPORTATION

DEPARTURE | ARRIVAL

DEPARTURE | ARRIVAL

DEPARTURE | ARRIVAL

MONEY SPEND

ACCOMMODATION

NAME _____

BOOKING _____

ADDRESS _____

_____

TEL _____

ROOM _____

NOTES

_____
_____
_____
_____
_____
_____
_____
_____
_____

DESTINATION

DAFE

PLACES TO VISITE

_____
_____
_____
_____
_____
_____
_____

TO DO

- ☐ _____
- ☐ _____
- ☐ _____
- ☐ _____
- ☐ _____
- ☐ _____
- ☐ _____

TRANSPORTATION

DEPARTURE | ARRIVAL

DEPARTURE | ARRIVAL

DEPARTURE | ARRIVAL

ACCOMMODATION

NAME _____

BOOKING _____

ADDRESS _____

_____

TEL _____

ROOM _____

MONEY SPEND

_____
_____

NOTES

_____
_____
_____
_____
_____
_____
_____
_____
_____

DESTINATION	DAFE

PLACES TO VISITE

_____
_____
_____
_____
_____
_____
_____

TO DO

- ☐ _____
- ☐ _____
- ☐ _____
- ☐ _____
- ☐ _____
- ☐ _____
- ☐ _____

TRANSPORTATION

DEPARTURE | ARRIVAL

DEPARTURE | ARRIVAL

DEPARTURE | ARRIVAL

ACCOMMODATION

NAME _____

BOOKING _____

ADDRESS _____

_____

TEL _____

ROOM _____

MONEY SPEND

NOTES

_____
_____
_____
_____
_____
_____
_____
_____

DESTINATION	DAFE

PLACES TO VISITE

_____

_____

_____

_____

_____

_____

TO DO

- ☐ _____
- ☐ _____
- ☐ _____
- ☐ _____
- ☐ _____
- ☐ _____
- ☐ _____

TRANSPORTATION

DEPARTURE	ARRIVAL

DEPARTURE	ARRIVAL

DEPARTURE	ARRIVAL

ACCOMMODATION

NAME _____

BOOKING _____

ADDRESS _____

_____

TEL _____

ROOM _____

MONEY SPEND

NOTES

_____

_____

_____

_____

_____

_____

_____

_____

_____

_____

DESTINATION	DAFE

PLACES TO VISITE

_____
_____
_____
_____
_____
_____
_____

TO DO

- [ ] _____
- [ ] _____
- [ ] _____
- [ ] _____
- [ ] _____
- [ ] _____
- [ ] _____

TRANSPORTATION

DEPARTURE	ARRIVAL

DEPARTURE	ARRIVAL

DEPARTURE	ARRIVAL

ACCOMMODATION

NAME _____
BOOKING _____
ADDRESS _____
_____
TEL _____
ROOM _____

MONEY SPEND

_____
_____

NOTES

_____
_____
_____
_____
_____
_____
_____
_____
_____

DESTINATION	DAFE

PLACES TO VISITE

_____
_____
_____
_____
_____
_____

TO DO

☐ _____
☐ _____
☐ _____
☐ _____
☐ _____
☐ _____
☐ _____

TRANSPORTATION

DEPARTURE | ARRIVAL

DEPARTURE | ARRIVAL

DEPARTURE | ARRIVAL

ACCOMMODATION

NAME _____
BOOKING _____
ADDRESS _____
_____
TEL _____
ROOM _____

MONEY SPEND

NOTES

_____
_____
_____
_____
_____
_____
_____
_____
_____
_____

| DESTINATION | DAFE |

PLACES TO VISITE

_____
_____
_____
_____
_____
_____

TO DO

- ☐ _____
- ☐ _____
- ☐ _____
- ☐ _____
- ☐ _____
- ☐ _____
- ☐ _____

TRANSPORTATION

DEPARTURE | ARRIVAL

DEPARTURE | ARRIVAL

DEPARTURE | ARRIVAL

ACCOMMODATION

NAME _____
BOOKING _____
ADDRESS _____
_____
TEL _____
ROOM _____

MONEY SPEND

_____
_____

NOTES

_____
_____
_____
_____
_____
_____
_____
_____
_____

DESTINATION

DAFE

PLACES TO VISITE

_____
_____
_____
_____
_____
_____
_____

TO DO

- ☐ _____
- ☐ _____
- ☐ _____
- ☐ _____
- ☐ _____
- ☐ _____
- ☐ _____

TRANSPORTATION

DEPARTURE	ARRIVAL

DEPARTURE | **ARRIVAL**

DEPARTURE | **ARRIVAL**

ACCOMMODATION

NAME _____

BOOKING _____

ADDRESS _____

_____

TEL _____

ROOM _____

MONEY SPEND

_____
_____

NOTES

_____
_____
_____
_____
_____
_____
_____
_____
_____

DESTINATION	DAFE

PLACES TO VISITE

_____
_____
_____
_____
_____
_____
_____

TO DO

- [ ] _____
- [ ] _____
- [ ] _____
- [ ] _____
- [ ] _____
- [ ] _____
- [ ] _____

TRANSPORTATION

DEPARTURE	ARRIVAL

DEPARTURE	ARRIVAL

DEPARTURE	ARRIVAL

ACCOMMODATION

NAME _____

BOOKING _____

ADDRESS _____

_____

TEL _____

ROOM _____

MONEY SPEND

NOTES

_____
_____
_____
_____
_____
_____
_____
_____
_____

ENJOY YOUR TRAVEL